Un amour de pharaon

de Didier Dufresne,
illustré par Frédéric Pillot

MiLAN

Au temps lointain de l'ancienne Égypte vivait le grand pharaon Thébomonfis III. C'était le plus puissant et le plus redouté des monarques.

Une seule chose manquait à son bonheur : il n'avait pas trouvé celle qui serait reine d'Égypte à ses côtés.

Il faut dire que Thébomonfis était difficile, et aucune des princesses qu'on lui présentait n'était à son goût. Elles étaient trop grandes ou trop petites, trop minces ou trop grosses, trop blondes ou trop brunes… Bref, elles n'étaient pas assez belles pour lui.

Il était donc toujours célibataire, et cela lui avait gâté le caractère.

Ses colères étaient célèbres jusqu'aux sources du Nil :

– N'y a-t-il pas sur terre une princesse digne de moi ? grondait-il. Ministres incapables ! Trouvez-la, ou je vous jette aux crocodiles !

Mais les ministres avaient parcouru le monde dans tous les sens, sans succès. Alors ils nourrissaient les crocodiles en cachette, au cas où Thébomonfis les condamnerait au grand plongeon.

Pourtant, alors qu'il rendait visite à l'empereur romain, son vieil ami Péromène, Thébomonfis rencontra celle qu'il attendait depuis si longtemps.

Elle se nommait Mina Losa. Il résolut de tout faire pour la séduire.

Hélas, la belle Romaine ne lui adressait pas un regard!

Il l'invita à danser la romana. Elle refusa! Il lui offrit un soufflé de tortue au miel d'acacia. Elle n'y goûta pas! Il chanta sous ses fenêtres *Le Sphinx des bords du Nil*. Mina ferma ses volets…

– Nom d'une pyramide! grommela Thébomonfis. Pour une fois que je rencontre une jolie femme, elle ne veut pas de moi.

Il faut dire que Thébomonfis avait un défaut : son nez de pharaon ressemblait à une grosse tomate trop mûre.

Bien sûr, personne n'avait osé le lui dire, de peur de le vexer et d'être jeté aux crocodiles.

Mina le trouvait bien trop laid pour elle, mais se sentait flattée de tant d'attention. Le pharaon était amoureux : elle allait s'amuser un peu. Mais jamais elle n'épouserait un homme avec un nez aussi monstrueux.

Thébomonfis fondait d'amour, et Mina faisait semblant de ne pas s'en apercevoir.

Le pharaon était désespéré :

« Je ne vais quand même pas demander à mon ami Péromène de la forcer à m'épouser, se dit-il. Par toutes les momies ! Elle finira par m'aimer. »

Thébomonfis rentra donc seul en Égypte. Seul et plus amoureux que jamais…

Chapitre 2

De retour dans son royaume, il s'enferma pour réfléchir au moyen de se faire aimer de la jolie Mina.

– La couvrir d'or! s'écria-t-il. Je vais la couvrir d'or!

Aussitôt, mille serviteurs furent envoyés aux quatre coins de l'Afrique à la recherche du précieux métal. Un mois plus tard, un navire égyptien quitta le delta du Nil et se mit en route pour Rome.

Ses cales étaient pleines d'or! Mina garda les bijoux, les lingots et les pièces, mais elle fit répondre qu'elle préférait les fleurs…

— Elle veut des fleurs ? murmura Thébomonfis.
Elle va en avoir !

Il fit construire des serres immenses au pied
des pyramides. Ses jardins occupaient des
centaines d'esclaves. On y faisait pousser les
fleurs les plus colorées et les plus rares du
monde connu.

Chaque jour, un bateau quittait le port, chargé de bouquets.

La princesse Mina ne sut bientôt plus que faire de toutes ces fleurs qui envahissaient sa maison et la ruinaient en vases.

« Ce pharaon au gros nez en tomate m'amuse, pensa Mina. On va rire ! »

Elle pria donc Thébomonfis d'arrêter ses envois et de venir en personne.

« Enfin, pensa Thébomonfis. Elle m'aime et veut que je l'épouse. »

– Qu'on apprête ma galère pharaonique ! ordonna-t-il.

Thébomonfis arriva, le cœur rempli d'espoir. À genoux devant Mina Losa, il lui déclara son amour. C'était la première fois qu'il s'agenouillait devant quelqu'un, et cela lui fit une impression bizarre.

– Relevez-vous, dit Mina.

« Qu'il est laid, par Jupiter ! », pensa-t-elle en fixant le gros nez en tomate du pharaon.

– Alors, c'est oui ? demanda Thébomonfis.

Mina ne pouvait pas dire au pharaon qu'elle ne le trouvait pas à son goût.

Elle préféra s'amuser en disant :

– J'aime les gens coquets et bien vêtus. Un bel habit, des cheveux poudrés, voilà qui pourrait me plaire. Revenez faire votre demande en grande tenue, et je vous répondrai.

Thébomonfis passa la main dans ses cheveux en broussaille et regarda son vieux manteau gris. C'était vrai, il avait triste mine. Peut-être parce qu'il vivait seul, il avait oublié de prendre soin de sa personne.

– Je reviendrai, plus rayonnant que le dieu Râ, dit-il, et vous m'épouserez.

Un mois plus tard, Thébomonfis se présenta à nouveau devant Mina. Les coiffeurs avaient frisé ses cheveux, les tailleurs avaient confectionné des vêtements somptueux… Le pharaon avait même pris un bain ! Il sentait bon et avait fière allure.

– Alors, dit-il, puis-je annoncer nos noces ?

Mina hésitait… Certes, le pharaon était très élégant. Mais ce nez ! Ce nez en tomate qui lui mangeait la figure… Non, décidément, elle ne s'y habituait pas. Elle chercha une fois de plus à le mettre à ses pieds. Son œil pétilla, car elle pensa avoir trouvé une idée.

– Vous êtes parfait, dit-elle. Enfin… presque parfait… car mon goût va aux hommes forts et musclés. Ne pourriez-vous pas faire quelque chose ?

Le nez de Thébomonfis se fit soudain plus rouge, et le pharaon sentit une juste colère l'envahir. Mais il pensait toucher au but. Après tout, cette belle princesse valait bien ce nouveau sacrifice. Il bomba son torse maigre et déclara :

– Donnez-moi un peu de temps, et je vous étonnerai.

– Prenez tout le temps qu'il faudra, minauda l'effrontée princesse.

Aux portes du désert, Thébomonfis fit construire un stade. Un grand stade pour lui tout seul! Mais un puissant pharaon ne peut acheter des muscles! Il essaya bien de faire courir ses esclaves à sa place, mais sans résultat... Pauvre Thébomonfis!

Pendant des mois, il dut nager, courir, lancer le javelot et soulever des poids énormes. Jamais il n'avait fait tant de choses épuisantes.

« Elle m'aimera », pensait-il pour se donner du courage.

Un an plus tard, une ombre massive s'encadra dans la porte du palais de Mina Losa. Un colosse s'approcha de la princesse, et elle eut bien du mal à reconnaître le pharaon. Les meilleurs entraîneurs avaient fait de lui un athlète aux muscles puissants. Pour toute déclaration, Thébomonfis s'empara

de la lance d'un garde et la tordit comme un fragile roseau.

— Cela vous suffit-il ? Vos appartements sont prêts dans mon palais de Mébozibis. Quand partons-nous ?

Mina eut beau réfléchir, elle ne trouva plus rien à reprocher à Thébomonfis.

Elle ne pouvait tout de même pas lui dire qu'il avait un nez affreux et qu'elle était trop belle pour lui. On ne parle pas ainsi à un pharaon.

Elle décida qu'elle s'était assez amusée. Alors elle n'eut plus qu'une solution.

– Vénéré pharaon, dit-elle, je dois vous avouer que je ne vous aime pas. J'en aime un autre !

Thébomonfis était prêt à tout entendre. Il aurait sans doute accepté de se faire couper le nez si la belle Mina l'avait exigé. Mais, qu'elle en aime un autre, il ne pouvait le supporter. Furieux, il quitta Rome en jurant bien haut que l'on entendrait parler de lui.

Chapitre 4

Quelques jours plus tard, en effet, Thébomonfis fit parler de lui !

À Rome, l'empereur Péromène dégustait un ragoût de queues de lézard, son plat préféré. Un soldat couvert de poussière fit irruption dans la salle à manger.

— Auguste Péromène, les armées de Thébomonfis ont envahi l'empire. D'ici peu, elles seront aux portes de Rome. Nos légions sont débordées.

Péromène faillit s'étrangler avec une queue de lézard, toussa violemment et hoqueta :

– Thébomonfis ! Mais c'est le meilleur ami de Rome ! Quel oiseau-mouche l'a piqué ? Qu'avons-nous fait pour provoquer sa colère ?

Les généraux de l'armée romaine en déroute furent aussitôt convoqués. Pas un, hélas, n'avait d'explication. Les soldats égyptiens détruisaient tout sur leur passage, et aucun motif de querelle ne justifiait une telle invasion. Péromène renvoya donc ses généraux au combat et se prépara lui-même à endosser sa cuirasse. Il avait un peu grossi

ces derniers temps, et il tentait en vain de l'ajuster, quand on frappa à la porte. Une vieille femme entra. C'était la servante de Mina Losa, et elle raconta toute l'affaire.

Péromène soupira.

« C'était donc ça ! Je comprends pourquoi Thébomonfis venait si souvent à Rome. Moi qui croyais que c'était pour le plaisir de me voir ! »

— Qu'on fasse venir cette Mina ! hurla-t-il.

En quelques minutes on trouva la princesse Mina. Elle baissa les yeux devant Péromène.

— Tu te rends compte des catastrophes que ta sottise a déclenchées ? tonna l'empereur. On ne se moque pas ainsi de quelqu'un, et surtout pas d'un pharaon ! Tu vas aller au-devant de nos envahisseurs et tu te prosterneras aux pieds de mon ami Thébomonfis. Tu le supplieras de te pardonner et de t'épouser. C'est un ordre, par Jupiter ! L'avenir de l'empire est en jeu.

— Mais… il a un gros nez, murmura timidement Mina.

— C'est le gros nez ou les arènes… menaça Péromène.

Chapitre 5

Le chemin fut long et épuisant pour la princesse. Il se mit à pleuvoir et il fallut marcher dans la boue. Pas question de se laver ni de se coiffer. Le soleil revint, et avec lui des nuages de moustiques. Après douze jours de marche, elle arriva enfin devant l'armée égyptienne. Les soldats de l'escorte poussèrent Mina devant eux et s'enfuirent à toutes jambes. Elle tituba jusqu'à la tente du pharaon. Elle essaya d'arranger ses cheveux emmêlés, regretta de ne pas avoir emporté de parfum, et dit à l'un des gardes :

– Annonce à ton maître la princesse Mina Losa.

Le garde fronça le nez et disparut dans la tente. Thébomonfis dévisageait celle qui prétendait être Mina Losa. Les moustiques avaient fait du bon travail. Son visage gris de poussière était déformé par les piqûres. Ses vêtements boueux collaient à son corps. Et cette odeur désagréable… La princesse ne s'était pas lavée depuis douze jours ! Thébomonfis boucha ce nez que l'on disait si gros.

La tête basse, Mina se prépara à lui dire qu'elle acceptait de l'épouser.

Mais, soudain, le pharaon partit d'un rire énorme qui fit trembler la toile de sa tente. Puis il se mit à sauter sur place en battant des mains.

– Par Osiris ! Je suis guéri ! hurla-t-il. Je ne l'aime plus ! Je ne l'aime plus !

Mina Losa regardait Thébomonfis sans comprendre. Il était élégant, bien coiffé et musclé. Maintenant, elle le trouvait presque beau...

Le pharaon se calma enfin et dit :
– Mina, ma chère Mina ! Merci ! Grâce à vous, j'ai compris que l'amour m'avait rendu aveugle.

Il l'envoya se laver en la priant de retourner chez elle au plus vite.

Il fit envoyer un papyrus couvert de hiéroglyphes à Péromène et leva le camp. Il rentrait en Égypte.

Péromène reçut ce message de paix avec la plus grande joie, d'autant qu'il n'était pas parvenu à enfiler sa vieille cuirasse et que la nouvelle n'était pas encore prête.

À vrai dire, il préférait le ragoût de queues de lézard à la guerre, ce que l'on ne pourrait lui reprocher, sauf peut-être si l'on est un lézard…

Quant à Thébomonfis, son bonheur commença à la vue d'une autre princesse dont il tomba instantanément amoureux. Elle n'était pas très mince, mais pas très grosse non plus. Elle n'était pas très grande, mais pas très petite non plus… Bref, elle n'était ni belle ni laide. Mais elle avait une voix claire, des yeux pétillants de malice et, comme lui, un sacré caractère. Elle serait tout à fait digne de diriger l'Égypte à ses côtés. Elle l'aima tout de suite, et il l'épousa très vite. Il faut dire, et c'est peut-être là que la petite histoire rejoint la grande, qu'elle aussi avait un grand nez. Elle s'appelait Cléopâtre.

Personne ne se souvient aujourd'hui de la princesse Mina Losa… On parlera encore longtemps du nez de Cléopâtre…

© 1999 éditions Milan pour la première édition
© 2017 éditions Milan pour la présente édition
1, rond-point du Général-Eisenhower, 31101 Toulouse Cedex 9, France
Loi 49.956 du 16.7.1949 sur les publications destinées à la jeunesse
Dépôt légal : 3e trimestre 2017
ISBN : 978-2-7459-9251-2
editionsmilan.com
Imprimé en France par Pollina - 81353A